YR ARTH
YN Y CWTSH DAN STÂR

HELEN COOPER

CYMDEITHAS LYFRAU CEREDIGION GYF

i Ted

Cyhoeddwyd gan Gymdeithas Lyfrau Ceredigion Gyf.,
Blwch Post 21, Yr Hen Gwfaint, Ffordd Llanbadarn,
Aberystwyth, Ceredigion SY23 1EY

ISBN 978-1-84512-072-6

Argraffiad Cymraeg cyntaf: Medi 1997
Argraffiad diwygiedig: Mai 2008

www.clcgyf.org

Cyhoeddwyd gyntaf ym Mhrydain ym 1993 gan Doubleday,
imprint o Random House Children's Books, 61–63 Uxbridge Road, Llundain W5 5SA.
Un o gwmnïau'r Random House Group.

Argraffwyd yn China

Roedd ofn eirth ffyrnig ar Wiliam
ac roedd arno ofn
y cwtsh dan stâr.

Roedd ofn arno
oherwydd iddo,
un diwrnod,
feddwl ei fod wedi
gweld arth,
fan'na,
yn y cwtsh dan stâr.

Ac roedd wedi cau'r drws
yn **galed** –

CLEC,
CLEP,
THYMP!

Poenai Wiliam am yr arth.
Poenai am yr hyn y byddai'r arth yn ei fwyta.
"Iym, iym," meddai'r arth, ym mhen Wiliam.
"Dwi'n arth lwglyd iawn.
Efallai y caf i fachgen bach i de!"

Felly cadwodd Wiliam ellygen sbâr
i'r arth oedd yn byw
yn y cwtsh dan stâr.

A phan nad oedd neb yn gwylio,
cipiodd Wiliam y ffrwyth o'i boced,
agor y drws,
taflu'r ellygen sbâr
i'r arth oedd yn byw yn y cwtsh dan stâr,
a chau'r drws yn **galed** –

CLEC,

CLEP,

THYMP!

Gan fod Wiliam wedi cau ei lygaid yn dynn,
welodd e mo'r arth
yn ei gwâl
dan y stâr.

Ond gwyddai'n iawn sut un oedd hi!

Ac yn y nos . . .

tra breuddwydiai Wiliam . . .

Bob dydd, bwydai Wiliam
yr arth oedd yn byw
yn y cwtsh dan stâr.

Bwydai hi â

bacwn,

bananas

a

bara.

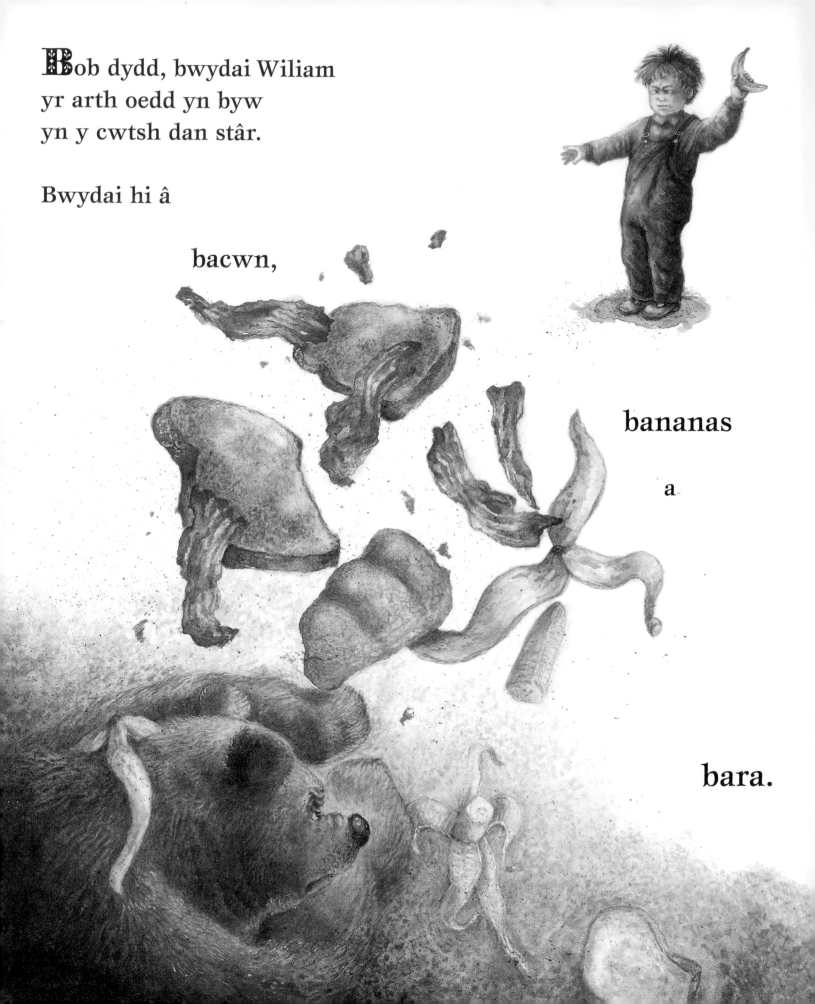

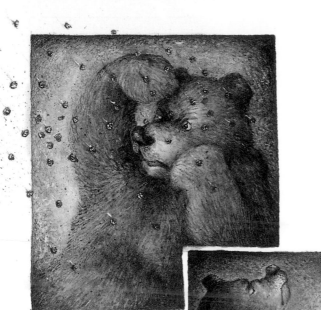

Bwydai hi â

chnau cyll,

mecryll

a mêl . . .

Ond cadwai ei lygaid ar gau bob tro,
a chaeai'r drws yn **galed** –

CLEC,

CLEP,

THYMP!

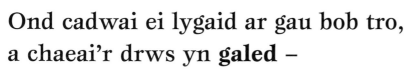

Cyn bo hir clywyd arogl od
yn yr aer
lle roedd yr arth
yn y cwtsh dan stâr!

Aeth yr arogl yn waeth ac yn waeth,
nes i'w fam sylwi arno.
"Mae gwynt ofnadwy'n dod o'r cwtsh," meddai.
"Well i fi lanhau."

"NA!"

sgrechiodd Wiliam mewn braw.

"PAID â mynd i mewn i FAN'NA!"

Cododd Mam Wiliam i'w chôl a holi,
"Wiliam bach, beth yn y byd sy'n bod?"
A dywedodd Wiliam y cwbl wrthi am yr arth lwglyd
fan'na, yn ei gwâl o dan y stâr.

Felly aeth Wiliam a Mam i ymladd
yr arth
oedd yn byw dan y stâr.
Cadwodd Wiliam ddewr ei lygaid ar agor
trwy'r amser,
a phan agoron nhw'r drws,
gwelodd . . .

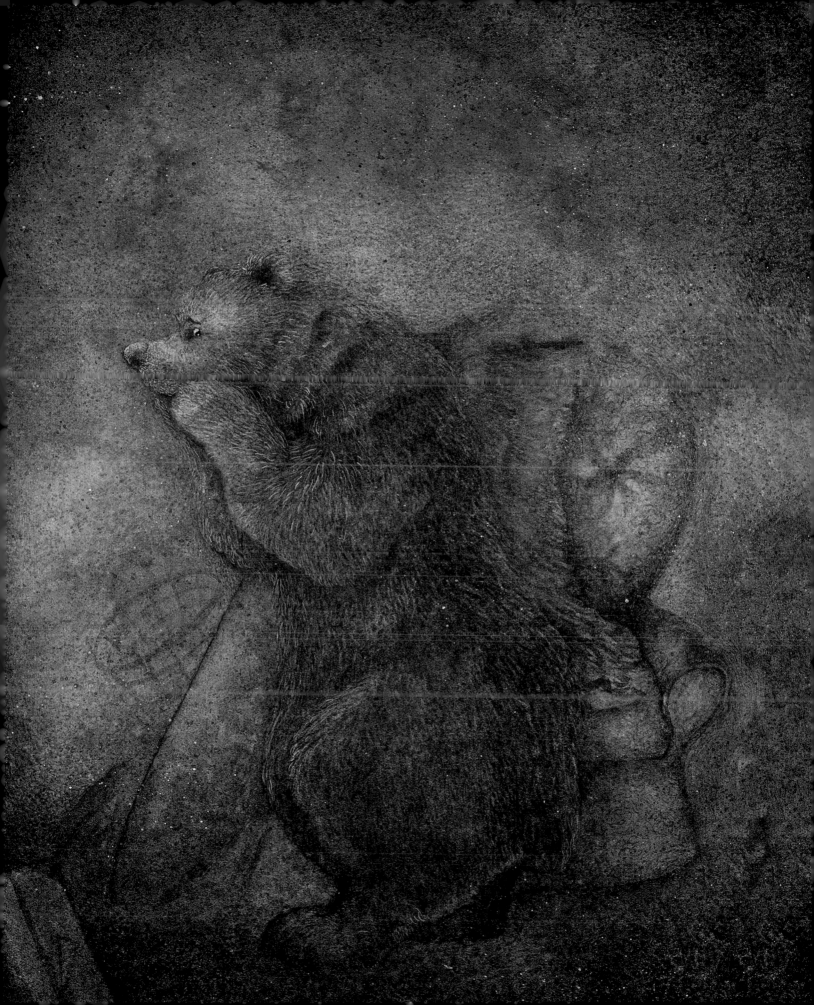

Hen garped blewog,
cadair wedi torri,
dim arth,
dim dychryn,
a hen fwyd drewllyd dros y llawr i gyd!

Felly dechreuodd Wiliam
a Mam lanhau.

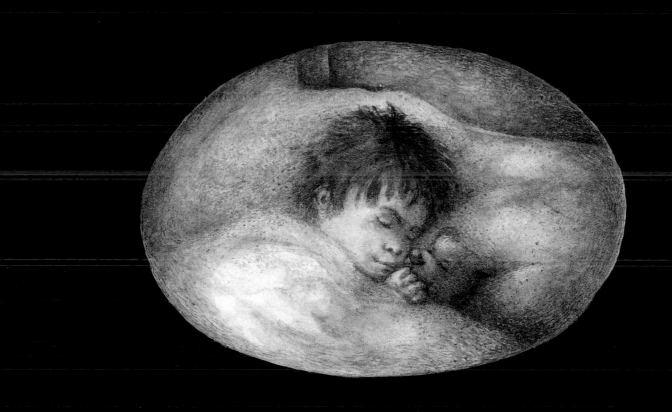

Yna aethant i siopa a phrynu
arth fechan frown yn arbennig i Wiliam.
Roedd gan yr arth wyneb mor annwyl
fel na bu ofn eirth ar Wiliam . . .

. . . byth wedyn . . .